마음을 열면 특별함이 보인다

마음을 열면 특별함이 보인다

발　행 | 2023년 12월 11일
저　자 | 최수연
펴낸이 | 한건희
펴낸곳 | 주식회사 부크크
출판사등록 | 2014.07.15.(제2014-16호)
주　소 | 서울특별시 금천구 가산디지털1로 119
　　　　SK트윈타워 A동 305호
전　화 | 1670-8316
이메일 | info@bookk.co.kr

ISBN | 979-11-410-5882-1

www.bookk.co.kr

마음을 열면
특별함이 보인다

「 최수연 」

CONTENT

… 책 속에 등장하는 이름은 모두 가명을 사용하였습니다.

난 너희들이 특별하지 않아.

"안녕하세요! 저는 학교에서 장애 학생들과 함께하는 특수교육실무사 최수연입니다."

이렇게 자기소개를 하고 나면, 대부분의 사람은 어떤 일을 하는지 궁금해한다. 그래서 나의 업무를 자세히 설명한다. 현재 나는 일반 학교에 특수교육대상자로 선정된 발달장애, 지체장애, 정서장애 등 장애등급을 받지 않았으나 학습이 어려운 학생들의 특수학급 학생들을 지원해 주는 일을 한다. 유·초등의 경우, 옆자리에 앉아 통합반에서 수업 지원을 하며, 용변 처리가 어려운 학생들을 도와준다. 중등의 경우, 현장학습 때 장소를 함께 이동해 주기도 하며, 특수학급에서 진행하는 다양한 학습이나 수업자료 제작에도 참여한다. 그러면, '대단하다', '그 애들은 아주 특별한 아이들이지 않냐?', '힘들지 않냐?', 말씀하신다. 그렇지 않다. 내가 이 일을 하는 가장 큰 이유는 흔히들 생각하는 동정의 마음이 들지 않아서이다.

병설 유치원에서 근무할 때, 옆 반에 특수학급이 있었다. 문 하나를 사이에 두고 아이들은 자유롭게 오가며 잘 지냈다. 어느 날 현장학습에 가서 공연을 보며, 잠시 자리를 비우신 실무사 선생님 대신 척추질환인 장애 학생을 내 무릎에 앉히고 공연이 끝나도록 아이를 안고 있었다. 아이를 흘러내리지 않게 꼭안고 있을 때, 장애아에 대한 거부감이 나에게 없다는 걸 알게 되며, 결심했다. 특수교육실무사로 일해야겠다고. 10년이란 시간이 흘러오는 동안 특수학급 친구들을 보며 배운 것이 많다. 장애가 일상이 되는 순간 그건 누구에게나 마주한 적 없는 내일과 마찬가지다. 혀를 차며 불쌍한 눈길을 보이는 사람도 있지만 그들은 비장애인과 똑같다. 좋아하는 친구가 생기면 짝꿍이 되고 싶어하고, 사춘기도 겪고, 이성에 관심도 생기며, 파우치를 가지고 다니면서 화장도 하고, 요즘 인기 있는 아이돌에게 빠져 무선이어폰을 끼고 음악을 듣기도 한다.
우린 모두 완벽하지 않으므로 난 그들이 특별하지 않다.

글을 쓰게 된 계기

올해 새로 발령 난 고등학교에 오면서 많은 변화가 나에게 생겼다. 휠체어를 탄 친구를 지원하며 모든 분에게 수고 한다는 인사와 눈빛을 받기도 하며 엘리베이터도 늘 배려받는다. 그 친구가 글쓰기를 좋아해서 신청한 <상상 나래 독립출판> 수업을 같이 듣게 되었다. 수업 지원을 이유로 별생각 없이 시작했지만, 막상 해보니 오래전 기억을 떠올리며 그 감정을 끌어내기가 쉽지 않았다. 그런 내가 매일 이를 닦다가도, 전철 안에서도 글을 쓰며 퇴근 시간이 지난 이 시간에도 내 안의 이야기들을 써 내려간다. 두서없이 내 감정에 이끌려 써 내려간 글도, 그 당시 상황이 웃겨서 무작정 써 내려간 글도 있다. 내 안의 감정을 쏟을 수 있다는 건 기분 좋은 일인 것 같다. 그림을 그리면서도 선 하나 그을 때마다 시간 가는 줄 모르고 그렸는데 글도 배고픔도 모르고 쓰게 된다. 우리의 신체도 약해지며 일상생활도 어려워진다. 그렇기에 지금 당장 내가 불편한 상황이 아니라고 외면하지도, 피하지도 않으면 좋겠다.

* 원고를 준비하며,
  도움을 주신
  김지선 선생님
  감사합니다.♥

일러두기

● 특수교육: 특수교육대상자의 교육적 요구를 충족시키기 위하여 특성에 적합한 교육과정 및 특수교육 관련 서비스 제공을 통하여 이루어지는 교육을 말한다.

● 특수학급 : 특수교육대상자의 통합 교육을 시행하기 위하여 일반 학교에 설치된 학급을 말한다.

● 통합 교육 : 특수교육대상자가 일반 학교에서 장애 유형. 장애 정도에 따라 차별을 받지 아니하고 또래와 함께 개개인의 교육적 요구에 적합한 교육을 받는 것을 말한다.

● 특수교육대상자 선정: 교육장 또는 교육감은 다음 각호의 어느 하나에 해당하는 사람 중 특수교육을 필요로하는 사람으로 진단. 평가된 사람을 특수교육대상자로 선정한다.
1. 시각장애   2. 청각장애   3. 지적장애   4. 지체 장애 5. 정서.행동장애
6. 자폐성 장애(이와 관련된 장애를 포함)   7. 의사소통 장애
8. 학습장애   9. 건강장애   10. 발달지체 11. 그 밖에 두 가지 이상의 장애가 있는 경우. 대통령령으로 정하는 장애

● 특수교육대상자의 선정 절차 : 특수교육지원센터는 진단. 평가를 통하여 특수교육대상자로의 선정 여부 및 필요한 교육지원 내용에 대한 최종의견을 작성하여 교육장 또는 교육감에게 보고하여야 한다.

● 특수교육대상자의 배치 및 교육
　①교육장 또는 교육감은 제15조에 따라 특수교육대상자로 선정된 자를 해당 특수교육운영위원회의 심사를 거쳐 다음 각호의 어느 하나에 배치하여 교육하여야 한다.
1. 일반 학교의 일반학급   2. 일반 학교의 특수학급   3. 특수학교

　②교육장 또는 교육감은 제1항에 따라 특수교육대상자를 배치할 때는 특수교육대상자의 장애정도. 능력. 보호자의 의견 등을 종합적으로 판단하여 거주지에서 가장 가까운 곳에 배치하여야 한다.

1.
수없이 쓴 이력서

하지만, 포기하지 않고 여러 곳에 두드린 덕에
인천의 한 여자중학교 특수교육실무사로 일하게 되었다.

특수교육실무사가 되기까지 참 긴 시간이 걸렸다. 난 내 아이 둘을 모두 학교 내 병설 유치원에 보냈다. 믿을 만한 교사분들, 넓은 운동장, 그리고 제일 맘에 드는 학교 급식 등 나에게 학교는 자녀를 믿고 맡길 곳이었다. 큰아이의 담임 선생님으로부터 종일반 교사를 소개받고, 학교에서 근무하게 되었다. 아이들 방학과 근무일이 맞는 것만으로 난 너무 만족하며, 생활했다. 그러던 중 이사하게 되며, 새롭게 일자리를 찾던 중 특수교육실무사란 직종을 알게 되고, 여러 곳에 이력서를 써넣었지만, 서류마다 면접도 못 보고 불합격 통지를 받았다.

그러던 중 4시간 정도 중증장애인 보조 업무로 근무하게 되었다. 처음으로 맞이한 특수학급의 특수교사와 실무사 선생님은 나에게 지금까지도 더없이 고마우신 분이다. 늘 아이들에게 환하게 웃어주시며 수준에 맞는 수업을 하셔서 배울 게 많은 시간이었다. 함께 근무하던 특수교육실무사 선생님은 장애아를 키우는 학부모이기도 했다. 내가 무기계약직 실무사가 되기까지 참 많은 도움을 주셨다.

그들과 함께하며, 지체 아이들의 성향, 휠체어 작동법, 아이를 안아 화장실에 앉히는 법 등 많은 경험을 쌓을 수 있었다. 그 시기에 지체 친구가 나의 등에 업혀 처음으로 헤엄치던 날, 캠프파이어 시간에 흥겨워 내 팔을 잡고 함께 추던 모습, 비 오는 날이면 눈썹을 밀고 와서 나의 눈물을 자극하던 자폐 친구, 요가를 좋아하던 아이. 이 경험을 바탕으로 또다시 이력서를 써보았지만, 수없이 떨어졌다.

하지만, 포기하지 않고 여러 곳을 두드린 덕에 인천의 한 여자중학교 특수교육실무사로 일하게 되었다. 초등학교, 중학교, 현재 근무 중인 고등학교까지 그당시 포기하지 않았던 나에게 칭찬해 주고 싶다. 그리고 면접조차 못 보고 실망한 나에게 용기를 주던 동료 실무사 선생님들, 이곳저곳 홈페이지 들어가 알아봐 주던 남편, 합격했다는 소식에 누구보다 기뻐하며 잘할 수 있다고 응원해 주시던 많은 분들을 위해서라도. 일이 익숙해졌다고 자만하지 말고 더 배우며 우리 아이들이 자립하여 사회에 나가 잘살아 갈 수 있도록 도움이 되는 실무사가 되고 싶다.

특수지원 대상 학생들의 정원이 많으면 특수학급을 두 반으로 운영하기도 한다. 우리학교도 1반은 3학년 1학년 신입생 반이며, 2반은 2학년 학생반이다. 옆 반 3학년 아이 중 몇 명은 벌써 실습을 다니고 있다. 보통 실습을 나가는 아이들은 오전에는 수업을 듣고, 점심을 먹고, 회사로 가는 경우가 있다. 그래서, 그 반이 체험학습을 가면 우리 반에 와 있었다. 어제도 1교시는 졸업사진을 찍고 와 수행평가도 열심히 하는 모습을 보니 역시 3학년은 다르구나! 하는 생각이 들었다. 아침 일찍 등교해. 아직 출발하지 않은 특수 담임선생님께 인사를 하고 우리 교실로 왔다. 1교시 수업에 필요한 자료도 찾고, 글을 써 금방 과제를 마치고, 통합반 수업을 다녀왔다. 아무것도 안 하고 앉아 있어 "뭐 할까?" 물어보니 "얘기"를 하자며 "선생님은 왜 선생님이 되셨냐며?" 조금 시간이 흘러, 그래 이번 기회에 특수교육실무사가 어떤 직업인지 알려주고자 열심히 설명하고, 특수교사에 대해서도 이야기 해줬다. 그런데, 고개를 갸우뚱하며, 이번에는 제스처까지 하며 *"많*

은 직업 중에 왜 이걸 했어요?" 다시 묻는다. 그 질문의 의도를 다시 생각해 보니, 이렇게 힘든 일을 많은 직업 중에 선택했냐고 물어보는 거였다. 나와 선생님은 너무 놀라고, 이런 질문을 학생에게 처음 받으신다며, 가끔 수학, 사회 전공과 선생님과 이런 이야기를 나누기는 하지만, 본인이 봐도 힘들고 고된 일을 선택했냐는 질문? 잠시 마음이 먹먹하며, 말을 잇지 못했다.

2.

아이들과 함께 성장한
초등학교 실무사 시절

내가 가장 많이 고민하고 배웠지만 한편으로는
힘든 시기였던 초등학교 실무사 시절 이야기이다.

내가 가장 많이 고민하고 배웠지만 한편으로는 힘든 시기였던 초등학교 실무사 시절 이야기이다. 갑자기 뺨을 때리거나, 알림장을 쓰기 싫어 연필을 책상에 확 눌러 반대로 연필심이 나오게 하는 자폐아, 화장실에서 옷 정리가 맘에 안 든다며, 짜증 부리는 지체 장애 친구, 통합반 교실에서 소리 내 울어 특수학급으로 데리고 오던 중 안 오려는 아이를 억지로 끌어온 일, 생각해 보니 참 많은 일들이 있었다. 그 시절 만난 특수선생님은 경력이 없던 나에게 많은 본보기를 보여주셨다. 지금까지 그때 아이들과 함께 생활하는 나는 선생님에게 아이들 안부를 알려드리기도 한다.

선생님께서는 초등 시절 한글은 반드시 깨우쳐야 한다며 매 수업 시간 아이들을 1:1로 가르치셨다. 실무사들에게 교과서의 그림들을 잘라 달라고 부탁하고 그 그림으로 이야기를 만드는 숙제도 내주셨다. 이렇게 숙제가 습관이 된 아이들은 중학교에 와서 숙제가 없는 날은 좋으면서도 아쉬워했다.

글을 깨치지 못하고 중학교에 가거나 방학이 지나 까먹고 온 친구들은 다시 가르치면 예전에 공부했던 것이 생각나서 좀 더 쉽게 익히기도 하였다. 발음과 목소리가 작은 아이에게 운동을 알려주시고, 자세가 안좋아 무기력한 아이에게는 다리를 펴는 법, 통합반에서 장기 자랑을 못 하면 간단한 마술도 알려주시며 열심히 교육해 주시던 선생님들을 많이 만났다.

그렇게 특수선생님께서는 나에게도 직접 보여주시기도 하고 대처 방법을 같이 이야기 나누며 하나씩 알려주셨다. 그렇게 배워오며 아이들에 관한 관심과 함께한 시간이 흘러 새롭게 오신 특수선생님들께 많은 도움을 드릴 수도 있는 시간이었다.

어떤 날은 학생부에서 4학년 아이가 반성문에 그림만 그려 두었다며 그때까지 한글을 몰랐던 아이가 특수학급에 와서 한두 달 배우며 쓸 수 있게 되자 선생님께 사랑한다며 보내는 손 편지는 더 없이 보람을 느꼈다. 늘 아이와 밀접하게 지내야 하는 초등 특수교육 실무사는 특수선생님과 아이의 상태를 매시간 이야기하며, 피드백을 받기도 하여야 한다.

또한, 우리 아이들은 같은 상황이라도 아이마다 다 반

응이 달라 잘 관찰하여 특수선생님과 소통해야 한다.

눈과 손의 협응이 느린 저학년 때 아이들은 알림장 쓰기가 가장 큰 숙제이다. 그래도 초등 때 배운 30초 손 씻기를 알려주면 중학교에 와서도 그렇게 닦는 모습을 보면 초등 교육이 얼마나 중요한가를 느낀다.

고집도 안 부리고, 꾀부리지 않는 그 시절에 좋은 습관을 익히며, 고쳐야 할 도전행동[1]도 수정해야 하는 시기인 것 같다.

도전 행동[1]: 발달장애인이 나타내는 타해, 자해 등의 행동으로, 행동하는 사람이나 타인의 신체적 안전을 심각하게 해할 수 있는 행동.

지인분이 카카오톡에 어느 변호사님의 글을 소개해
주셨다.

중증 발달장애인 A는 지하철에서 옆 사람과 몸이 닿게 되었고, 그리고, 들고 있던 핸드폰을 보며 촬영하려던 것이 아니었냐는 공격적인 질문도 받습니다. 피해자도 발달장애인임을 인지하지 못하고 곧바로 경찰에 신고하여 A는 성폭력 방지 특별법상 카메라 등 이용촬영 미수 및 강제추행으로 입건 되었습니다. (매우 중한 범죄입니다.) 결국 스스로 문장을 쓸 수 없지만 부모님의 노력으로 받아쓰기는 잘했던 A는 경찰 조사서에 자필로 추후 조사에도 성실히 임하겠다는 내용의 글을 남기고 옵니다. 이 말의 의미조차 이해하지 못하는 중증 발달장애인이 경찰이 불러주거나 미리 써놓은 글을 베낀 것이라는 강한 의심이 드는 상황입니다. 결국 "발달장애인 권리보장 및 지원에 관한 법률"은 이런 경우를 대비해 형사 절차에서 조력을 받을 권리를 명시하고 있습니다. 경찰이 A가 발달장애인이니 조사 단계에서부터 어머니와 동석을 시키거나 조력을 받을 수 있게 했더라면 검찰까지 오지 않았을 사건입니다. A의 충분한 증거로 무혐의는 입증되었으나 어머니는 처음 사건 소식을 듣고, 받아쓰기 교육을 한 게 잘못이었다며, 펑펑 우셨답니다. 이 변호사님은 경찰이 조사에서 왜 문장을 쓸 수 없는 A에게 문장을 쓰게 했는지 책임을 물어야 할 것 같다며, 또 다른 숙제를 받은 것 같아 고민이 됩니다.

이 글을 읽으니 초4 학년까지 글을 몰라(그때까지 누
구도 담임조차 모르고) 반성문을 쓸 사건이 있어 학생
부에 가서 쓰는데 그림만 그려져 있어 알게 되었다.
결국 특수지원 대상자로 선정되어 특수학급에서 수업

하였다. 처음에는 특수학급에 오는 걸 부끄러워했지만 조금씩 글씨를 알아가니 재미가 생겼는지 담임 특수 선생님께 노트 한 귀퉁이를 찢어서 손 편지 써서 부끄럽게 책상에 두고 가기도 했다.

예전 어느 특수선생님께서는 아이들에게 늘 *"공부가 알고 나면 참 재미있는 것"이*라며, 말씀하셨다. 그 아이를 중학교에 가서 다시 만났을 때, 수업도 잘 따라가고 있었다.

이 사건을 읽으며 받아쓰기를 가르치기 위해 어머니께서 얼마나 많은 반복과 연습을 했을지 조금이나마 알기에 불러주는 걸 쓸 때 분명히 알아차렸을 경찰들의 의도적인 조사에 반드시 책임을 져야 한다고 생각한다. 우리 아이들이 교복을 벗고 사회인이 되었을 때 누군가는 이런 의도로 접근하면 어쩌나? 그런 생각이 들며 학교 안의 울타리를 벗어나는 것이 부모님들은 얼마나 염려가 될까? 라는 생각이 든다.

약자에게 강한 권력을 행사한 못난 그분들 반성하길 바란다.

3.

잘하는 걸 보면,
꿈이 보인다

우리 아이들을 자세히 들여다보고, 어제보다 조금 더 해보려고 하는 모습이 있으면, 작은 것 하나라도 놓치지 말고, 칭찬해 줘야겠다.

어릴 적 어른들은 "커서 뭐가 되고 싶니?"라고 자주 물어보셨다. 나는 내가 가장 잘해서 칭찬받는 달리기 선수를 말하곤 했다. 고학년이 되어서는 육상선수를 말했다. 초등 때 육상부에 들어가지 못하며, 이 질문을 받으면 어떻게 해서든 피하고 싶었다. 난 꿈이 없었던 것 같다.

한참 진학에 고민하던 내게 같은 동네에서 유아교육과 다니던 언니는 나에게 본보기가 되어 주었고, 그 언니처럼 나도 유아교육과에서 공부하고 유치원 교사가 되었다. 시간이 지나 생각해 보면 그 시기 내 곁에 누군가 있는 것은 중요한 시기에 많은 영향을 준 것 같다. 그렇게 시작된 길이 결혼하여 두 자녀를 키우며 겪은 경험은 지금 특수교육실무사의 일에 녹아져 있다. 학기 초가 되면 장래 희망, 꿈, 직업 등 다양한 수행해야 할 과제들을 준다. 노래를 잘해 칭찬받던 친구는 아이유 같은 가수를, 키가 커서 어른들이 모델 같다고 칭찬받으면 모델을 꿈꾼다. 하지만 학년이 올라가며 여러 동아리 활동이나 본인의 실력이 그 정도는 어렵다는 생각에 고민하며 질문을 던진다.

"선생님은 처음부터 선생님이 되고 싶었어요? 전 연기

도 하고 싶고, 노래도 부르고 싶어요."

그렇다. 우리는 모두 잘하고 싶고, 그 일이 꿈이며, 직업이 되길 바란다. 그래서, 여유가 있는 부모님은 개별적으로 미술도 가르치고, 보컬도 가르치기도 한다. 그러면서 잘하고 칭찬받으면 한 발 앞으로 나가는 기회가 되기도 한다.

가끔 난 똥손이라며, 아무것도 안 하려는 학생이 있다. 난 그런 학생을 보면 우리가 더 칭찬하고, 머리를 쓰다듬어 주었다면 어땠을까 하는 생각이 든다. 우리 아이들을 자세히 들여다보고, 어제보다 조금 더 해보려고 하는 모습이 있으면, 작은 것 하나라도 놓치지 말고, 칭찬해 줘야겠다.

초등 특수학급인 경우 연말이면 연합으로 전시회나 발표회를 한다. 1년 동안 아이들이 수업 시간에 만들었던, 공예수업 등 크고 작은 작품들을 전시해 부모님들을 초대해 보여드리는 날이다. 학교마다 장기 자랑을 준비하는데, 우리는 <아기돼지 삼형제> 인형극을 하기로 했다. 대사는 녹음되어 있고 그 내용에 맞게 나와 움직임을 보여주는 것이다. 어느 배역보다 늑대 역할을 맡은 한 아이가 생각이 난다. 키가 무척이나 커 커다란 늑대 인형을 손에 넣고, 막대로 손, 발을 움직이는 것이었다. 입을 벌려 부는 모습, 아궁이에 빠지는 모습 등 참 꾸준히 연습하였다. 늘 큰 키에 어깨를 축 늘어뜨리고 다니는 아이였는데, 그 연극 연습에 늑대만큼은 입도 벌리고 정말 열정적으로 해주었다. 발표 당일, <아기 돼지 삼형제>는 폭발적인 인기와 어두운 관객 앞에 환하게 무대만 비추어져 우리 아이들이 정말 빛났던 순간이었다.

 때론 하고자 하는 동기가 부족해서, 주변의 반응이

겁이 나서 핑곗거리로 입을 닫거나 아픈 척하거나 느리게 행동하는 경우가 많다. 조금 여유를 갖고 한 번 안 한다고 단정 짓지 말고 따뜻한 눈길로 할 수 있다는 용기를 주는 것이 중요한 것 같다. 아이들은 대부분 주변의 반응을 크게 받아들이기 때문이다.

Episode 04. – – – – – – – – – – – – – –

우리 특수학급 친구들은 국어, 수학 시간 등을 통합반
에 내려와 본인의 수준에 맞는 문제집을 푼다.
승건이는 늘 수학이 어렵게 느껴지는지
선생님께서 뒤에서 쳐다보면

"왜요?"

라며 멈칫한다.
선생님은 미리 눈으로 채점하는 중이었다며,
(사실은 어려워하는 게 있나 보시고 있었다.)
그런, 선생님께 승건이가

"성급하시네요." 라며, 다 풀면, 채점하시라고 한다.
　선생님은 본인이 늘 느려서 주변에서 좀 빠르게 하
라는 소리를 듣는 분이신데 승건이에게 그런, 어려운
어휘로 이야기를 들으니 웃음이 터지셨다. 본인을 다
시 돌아보게 되었다고 하시며, 승건이에게
"제가 좀 성급해서 미안해요." 사과까지 하셨다.

그러나, 난 안다.

승건이가 수학하려면, 그 긴 손가락을 이리 피고, 저리 접어야 한다는 걸 그 모습을 보이기 싫어서 그렇게 지켜보면 긴장한다. *'괜찮아!'* 머리로 암산 못 하는 게 부끄러운 줄 아는 승건이가 난 기특하다.

진짜 부끄러운 건 부정한 일을 하고도 당당하며 더 큰소리치는 어른들이 있다는 걸 알기에, 이렇게 열심히 손가락을 이용하는 모습이 더 정직해 보인다.

세상에는 노력해서 안 되는 게 어디 있냐고? 말하기도 하지만, 우리 아이들은 오랜 시간 공들여 반복해서 배워도 장기 기억까지 가기가 어렵다. 그렇지만, 다들 각자의 방법으로 해결해 가며, 잘할 수 있는 걸 발견하는 데 더 시간을 보내기도 한다.

4.

학교의 일원으로서
함께하기까지

당연하다 생각하지만, 변화를 겪으며 지내온 난 참 많은 곳
에서 노력한 결과이며 배려받고 있다는 생각에 감사하다.

학교라는 공간은 우리가 생각하지 못한 많은 직종이 함께 협업하는 곳이다. 교문만 들어서도 지킴이 선생님, 학교 시설을 관리하시는 시설 주무관님, 깨끗한 환경을 위해 청소 여사님, 행정실 안에도 계장님, 주무관님, 행정실무사, 사회복무요원분들, 맛있는 점심을 주시는 급식실에도 영양사님, 조리사님, 배식원님 그리고, 모두 퇴근하면 밤새 학교를 지켜주시는 당직 기사님도 계신다.

여러 학급 교실 외에 1층에 우리 특수학급 교실이 있다. 아이들은 자기 반에 특수지원 대상자 친구가 없으면 특수학급이 있는지조차 모르고 휠체어를 타는 학생이 없으면 특수학급이 없는 줄 아는 학생들이 많다. 그런 데다 특수선생님께서 수업을 안 들어가시니 학생들조차 모르는 때도 있다. 그러니, 그 안에서 일하는 우리의 존재는 어떤가?

학년이 올라갈수록 아이들은 특수학급인 걸 밝히고 싶어 하지 않는 경우도 있다. 그렇게 특수학급은 있는 듯 없는 듯 조용히 있는 경우가 많다.

통합반에서 잘 지내서 교실에 들어간 선생님이 그 반에 특수학급 학생이 있었는지조차 모르길 바라며, 수업이 재미있다며, 쉬는 시간에도 아이들과 잘 지내길 바란다.

학교에서 특수교육실무사에 관한 관심이 소홀한 건 조금 서운할 때도 있었다. 아주 오래전 이야기이지만, 책상 자리가 없어, 아이들 컴퓨터 책상에 앉아 있어, 여러 차례 특수선생님께서 말씀 해주셔서 교실의 한쪽에 작은 책상 하나와 컴퓨터, 의자가 있던 시절도 있다.

그러나 지금은 모든 선생님의 책상과 같게 품목을 챙겨주시며, 업무에 불편함이 없도록 해주신다. 아직도 예전 같은 상황인 학교는 없으리라 생각한다. 당연하다 생각하지만, 변화를 겪으며 지내온 난 참 많은 곳에서 노력하신 결과이며 배려받고 있다는 생각에 감사하다.

5.
아이들의 성장을
지켜본다는 것은

나는 아이들과 계속 인연을 이어가고 싶다. 힘든 일이 있으면 같이 해결도 하고 기쁜 일이 있으면 함께 가서 박수도 쳐주고 싶다.

현재 특수학급 아이 중 네 명과는 10년이라는 인연으로 이어진다. 내가 초등 특수실무사로 일했던 곳에서 만나 고등학교까지 함께 생활하고 있다. 애들 말대로 우린 보통 인연이 아니다.

그중 참 힘든 시기를 보낸 주현이가 있다. 수업 중 이유 없이 책상을 발로 차거나 화가 난다며 옆 친구 어깨를 꽉 누르기도 하고 주먹을 불끈 쥐기도 하며 여느 아이들처럼 힘든 사춘기를 보냈다.

그렇게 힘든 중2 시절을 보내고 있는데 엄마가 암이라는 소식까지 들은 주현이는 매일 힘들게 학교에 다니고 있었다. 수업 시간에 너무 화가 올라온 아이를 진정시키려고 운동장도 돌기도 하며 이런저런 이야기를 나누며 같이 울기도 한 녀석이다. 다행히도 오진으로 판명이 났다. 누구보다 어머니를 소중하게 생각하고 지켜주고 싶어 했던 주현을 생각해 보면 이유 있는 반항이었다는 생각이 든다.

지금 고2가 된 주현이는 재량 공휴일이나 학교 근처에 오면 보러 온다며 전화한다. 방학 때 아르바이트 면접을 앞두고 떨린다며 온 연락, 한나절밖에 못 한 아르바이트 경험을 들려주는 주현이를 보면 나와 함께 보낸 그 사춘기 시절을 잘 버텨준 게 고맙다. 이렇게 나는 아이들과 계속 인연을 이어가고 싶다. 힘든 일이 있으면 같이 해결도 하고 기쁜 일이 있으면 함께 가서 박수도 쳐주고 싶다.

Episode 05.

핸드폰이 울린다. 어? 초등학교 때 처음 만나 지금은 고등학생이 된 주현이다!

전화를 받자마자 대뜸!

"선생님 저 떨려요"
"왜?"
"아르바이트 면접하러 왔어요."

기특한 맘에 이런저런 질문을 하니, 약속된 시간보다 1시간 일찍 도착하여, 그 고깃집 앞에서 전화했다는 주현이의 말. 나는 일단 가게 옆으로 가서 사장님께 전화를 드리라고 일러주었다. 처음 오는 길이라 일찍 왔다며 어떻게 하는 게 좋을지 말하라고 했다. 그리고는, 여전히 떨린다는 주현이에게 응원의 말을 전하고 전화를 끊었다….

핸드폰을 내려놓고, 한참 생각에 잠겼다. 늘 어머니 가게일도 잘 도와주던 아이라서 잘할 수 있을 것이라는 기대로, 고등학생이 되어 좀 컸다고 하는 행동이 귀엽기도 했다.

다시 울리는 전화기에 사장님 질문에 대답한 본인의 답변을 흥분된 어조로 이야기를 퍼부었다. (집이 어디냐는 질문에 지역도 말하지 않고 ** 빌라라고 말했다는 주현이의 말) 내일 보건소에 가서 보건증도 받아야 하며, 일단 서류를 가져오라고 했다고, 나는 어머니에게 잘 말씀드리고, 잘 준비해서 가져가라고 일러주고 전화를 끊었다.

아이가 참 많이 컸다는 생각에 다시 미소를 지었다.

며칠 후, 주현이가 오후에 내가 근무하는 학교에 온다고 했다. 내 얼굴을 보자마자, 아르바이트는 잘렸지만 그래도 사장님이 그날 근무한 돈을 챙겨주셨다며,

사장님과 나눈 대화의 문자를 내게 보여주었다. 나는 그래도 잘했다며, 고등학교 졸업하면 더 잘할 수 있을 거라고, 이야기하며 보냈다. 나는 이런 상황에 아이들이 자주 경험하길 바란다. 그래야, 비슷한 경우가 생기면, 당황하지 않고, 도망가지 않고 맞설 수 있다고 생각한다. 누구보다 더 경험하고, 익혀가길 바란다.

주현아, 잘했어! 그리고 기특해!

6.

나의 점심시간은

배식판에 음식을 담으며, 우리 아이들의 식성, 재료의 크기,
알레르기, 부모님들께서 안 먹었으면 좋겠다는 음식, 먹는
양 등 여러 가지를 염두에 두며 식사한다.

학교에 근무하면, 회사에 다니는 직장인들처럼 매일 점심을 고민하지 않고, 급식을 먹을 수 있어 감사하다. 그러나, 때론 아이들 없이 느긋하게 먹고, 차 한 잔 나누며 공원을 산책하고 싶은 나름의 희망 사항이있기도 하다. 배식판에 음식을 담으며, 우리 아이들의 식성, 재료의 크기, 알레르기, 부모님들께서 안 먹었으면 좋겠다는 음식, 먹는 양 등 여러 가지를 염두에 두며 식사한다.

늘 아이들과 함께 식사하는 초등 특수교육실무사 시절 식사법 지도는 업무 중에 중요한 부분을 차지했다.
아침을 안 먹고 오는 아이들에게 점심 한 끼는 성장기 영양과 오후 수업 시간까지 영향을 준다고 하신다. 그렇게 산만하며 힘들게 하던 자폐 친구도 점심을 잘 먹고 5교시 수업 시간에는 선생님과 수업을 잘 마무리하며 통합반 가서도 별탈 없이 잘 지내다 귀가한다.
고등학생이 되니 편식하는 아이를 막을 수는 없다, 그러나, 최대한 먹을 음식은 충분히 먹으며 채소가 듬뿍 들어 있는 소스는 받지 않는 방법으로 식사법 지도를 한다.

휠체어 탄 혁진이 반 아이들은 도우미 친구가 아니어도 어색함 없이 휠체어를 밀며, 식당까지 가서 함께 옆자리에서 점심을 먹고, 정리해 주는 친구들이 있다.

특수학급 친구들이 있는 통합반 아이들은 어디서든 장애 친구를 만나면 나와 같은 반 친구였던 경험으로 나중에라도 편하게 대해주는 모습을 보며 통합 교육의 역할이 중요함을 알았다. 고등학교에서는 아이들과 함께 같이 먹지는 않지만, 지체장애가 있는 혁진이의 자리를 잡아주고 식판을 가져다주며 점심을 먹는 동안 학교 주변을 둘러본다.

문득 단풍의 색감이 예뻐 하늘에 비춰 한 장 남겨본다.

혁진이 덕에 바쁜 직장 생활에 여백이 생겨 맘껏 칠해보며, 희망 사항이 이루어졌다.

한 친구는 일 년이 흐른 깁스 하던 날을 국어문제집 일기 쓰기에 너무나 자세하게 써 내려갔다. 그때 우리는 없어 상황을 모르지만, 신발장 옆에 놓인 의자를 보며 깁스할 때 앉아서 신발 신었던 곳이다. 체육이 하기 싫으면, 그때 깁스해서 아직 다리가 안 좋다며, 갑자기 다리를 질질 끈다.

그날을 맘껏 써보라고, 부족한 책에 포스트잇도 한 장 붙여주었다. 엄마가 일하던 중간 학교에 달려오신 것부터 허벅지까지 깁스한 것, 목발을 하지 못해 초록색 깁스 신발을 신은 것, 집에 와 엄마가 속상해하는 얼굴, 너무 아파 며칠 학교에 오지 못해, 못 간 체험학습이며, 작업 등 우린 이렇게 자세히 기억하고 쓰고 있는 모습을 보며 그날을 모르는 우리에게 얼마나 이야기 해주고 싶었을까 생각해서 시간을 넉넉히 주었다.

본인에겐 참 큰 사건이었던 것 같다. 어디 다녀온 곳 물어보면 *"몰라요" "기억 안 나요"* 하던 아인데, 맘껏 쏟아 놓았으니, 이제 그날의 아픔은 모두 잊으면 좋겠다.

수빈아, 그렇게 아픈 날이 있으니, 계단 오르내릴 때 더욱 조심하게 되는 것이야. 그렇게 상처도, 아픔도 받아들일 수 있는 그런 어른이 되길 연습하자.

7.

지체 장애아를 지원하며
알게 된 시선들

혁진이를 지원하며 생각지 못하는 우리 비장애들의 생각이
드러날 때마다 너무 부끄럽다. … 조금씩 나도 혁진이 시선
으로 바라보려고 노력하며, 불편 사항을 말씀드린다.

"아직도 안 왔어요?"

벌써 1시간째 서서 교문 밖과 시계를 번갈아 가며 무작정 기다리신다. 어느 부모님들은 차를 이용해 등·하교를 시킬 수 있으시지만, 직장이라도 다니시려면 학교 일정에 맞춰 아이를 데리러 오시기는 너무 어렵다. 그래서 휠체어를 그대로 타고 탈 수 있는 장애인콜택시가 있다. 가격도 저렴하고, 또 기사님들도 경험이 많으신 전문가분들이라 안전하게 잘 태워주셔서 통합비도 지급되는 친구들이 이용하면 좋다. 그러나, 문제는 시간이다. 등하교 시간이 비슷하고, 비라도 오는 날이면 이용자가 늘어서 마냥 주차장만 바라보며 기다리던 아이들도 있었다. 체험학습이라도 나가면, 늦게 오니 미리 불러 도착하면 일정이 조금 남아도 먼저 보내야 하는 경우도 있었다.

얼마 전 장애 운동 활동가로 <이규식의 세상 속으로> 책을 내서서 북토크를 하신다는 기사와 유튜브 영상을 봤다. 한 마디 내뱉기가 어려운 중증 뇌 병변 장애를 가지고 마이크를 통해 우리가 왜 그 아침 출근길에 나가는지 시민들이 한 번만 생각해 주면 좋다고, 그 힘이 너무 강력하게 느껴졌다. 혁진이를 지원하며 생각지 못하는 우리 비장애들의 생각이 드러날 때마다 너무 부끄럽다. 조그만 휠체어가 틀어져도 떨어지는 아슬한 간격의 경사로, 또는 너무도 가파른 경사라 속력을 이용해서 밀어야 하는 경우, 경사로 앞에 떡하니 세워진 택배차, 고정 의자가 되어 있어 조금 떨어진 곳에서 먹어야 하는 급식실 의자, 앉아서 닫지 않는 스위치들, 손 씻기 불편한 세면대, 도움 없이는 들어가기 어려운 유리문.

조금씩 나도 혁진이 시선으로 바라보려고 노력하며, 불편 사항을 말씀드린다. 카카오택시, 바로 앞 버스정류장만 나가도 실시간 그 차의 승객 표시까지 나오는 이 시대에 아직도 소수라는 이유로 일상에 불편함을 참고, 감수하는 모습이 나를 작게 만든다. 그래서 혁진이는 핸드폰을 제출하지 않는다. 어떤 상황이 일어날 때 누군가에게 도움을 요청해야 하기 때문이다.

그렇지만 혁진이는 세심하게 오르막을 오르면 바퀴를 굴려 주고, 앞에 누군가 있으면 비켜 달라고 외치기보다, 좀 기다리는 모습, 이동 수업 시 먼저 이동했으면, 했다고 문자 보내는 모습을 보면, 더 많은 것을 배우게 된다. 그런 모습 때문에 반 친구들도 좋아하는 것 같다.

특수학급은 특수학교 학생들보다 친구들과의 관계나 학교생활에 좀 더 수월한 경우가 많다. 그래도, 통합반에서 수행평가나, 활동지를 작성하는 건 많은 어려움이 있을 수가 있다. 초등 저학년이면 처음 해보는 알림장 작성이며, 준비물 챙기기, 매시간 교과서 찾기와 배울 곳을 찾아 펴는 건 어려움이 있다. 중, 고등에는 동아리 수업이나, 이동 수업할 때 찾아가기가 어렵기도 하다.

그래서 특수학급 친구들이 있는 통합반에서는 아이들을 도와주는 또래 도우미라는 친구들이 1~2명 정도 있다. 이들은 부모님께 동의서도 받기도 하며 대부분 자발적으로 의사결정을 한다. 쉬는 시간이면 또래 도우미와 도서관을 찾아가 책을 빌리는 건 초등학교 때 아이들에게 즐거움이며 관계 형성에 긍정적인 영향을 준다.

얼마 전, 작가님과의 만남에서 교사이신 작가님은 반에 휠체어를 탄 친구에게 가서 웃고 이야기하면 사탕을 하나씩 주신다고 했다. 보상받기 위한 행동이 아니라 교실에 웃음소리가 흘러넘친다는 말씀에 참 좋은 아이디어라 생각했다.

최근 혁진이가 고등학교 와서 공부가 재미있다며 새벽까지 공부하더니 체력이 조금 떨어졌는지 응급실에 가게 되어 학교에 결석하게 되었다. 통합반 친구들은 나를 보는 아이마다 어떠냐며 걱정스러워했다. 결석하고 다음 날 링거를 맞고 조금 늦게 교실에 들어가니 다들 반갑게 *"you 혁진!'* 하며 반겨주었다. 혁진이도 아직 가슴이 100m 달리기하고 온 것 같고, 말하기도 힘들지만, 웃는 모습으로 인사해 준다.

학교인 곳은 가정에서 배울 수 없는 또래들과의 관계를 함께 부딪치며 자연스럽게 배우는 곳인 것 같다. 말 한마디도 재미나게 하는 친구, 축구를 잘하는 친구, 노래를 잘 부르는 친구, 말하기조차 어려워 아이들을 바라만 보는 친구, 아침에 혁진을 데려다주느라 교실에 들어가면 실무사인 나에게 큰 소리로 인사해 주는 친구, 혁진처럼 휠체어를 타서 이동에 도움을 받지만,

수학을 잘해 가르쳐 주기도 하고 모둠에서 그림을 잘 그려 도움을 주기도 한다. 학교에 우리가 바라는 것이 혹여나 이런 큰 그림이 아닌가 싶다.

작은 내 아이만 바라보고 또는 내 아이에게 조금 싫은 소리 한 선생님이 싫어서 흠잡기에 에너지를 쏟는 건 아닌지, 다시 한번 생각해 봐야겠다. 실무사로 일하며 근처 초, 중, 고등학교에서 근무하며 학급 아이들과 친하게 되었다. 그 덕분에 나도 새로운 학교에 배정이 되어도 아는 아이들이 반갑게 인사해 주는 덕분에 쉽게 적응하기도 한다. 이렇게 우리 아이들이 건강하게 장애가 있거나, 없거나를 떠나 모두 함께 마음에 아픔까지도 걱정해 주며 커가길 바란다.

8.

함께 살기 위한 노력들

나도 그 가정을 통해 기다림을 배웠다. 좀 더 좋아지리라는 믿음.

첫 아이를 빌라 주택 3층에서 키웠다. 아이를 유모차에 태우고, 병원 다녀오며, 시장보고 오는 날이면 나는 두 팔과 온몸이 지쳐있었다. 가는 인도마다 놓여 있는 좌판들, 오토바이들, 깨져 움푹 파인 아스팔트, 이 모든 장애물을 피해 집에 도착하고 나면 평상에 털썩 주저앉아 버렸다.

휠체어 아이를 보조한 경험도 있어, 아이들과 현장체험을 나가는 것이 이제는 어려운 일이 아니라 생각했었다. 그러나 서울로의 대학 탐방과 뮤지컬 관람을 위해 대중교통 그나마 지하철은 감수할 수 있지만 버스는 어렵다. 구글 휠체어 경로도 수없이 찾아 보고, 미리 답사도 다녀와 보고 하던 중 유튜브에 버스와 지하철을 이용해 다녀오신 체험을 올려주신 지체장애인 분들의 영상을 보며 더욱 걱정이 쌓여만 갔다. 리프트 장착된 저상버스를 20분 기다렸는데 고장이 난 경우 리프트는 내렸지만, 보도블록과 간격이 생겨 탑승할 수 없는 경우의 영상들이었다.

다행히 어머님께서 차로 지원을 해주셔서 무사히 잘 다녀왔지만, 휠체어 친구가 간다고 연락했는데도 견학 방향을 고려하지 않은 내리막길. 그러나, 누구도 직접 그 상황에 직면해 보지 않으면 그곳에 눈을 돌릴 수조차 없다는 것을 이번 혁진이를 지원하며 알게 되었다. 무거운 유리문, 경사로는 있지만 건물 저편에 아주 멀리 동떨어져 있는 좁은 경사로, 휠체어도 못 들어가고, 문도 안 닫혀 열고 사용했던 장애인 화장실 등.

어느 날 우두커니 아파트의 경사로를 지켜보길 바란다. 누가 더 이용할까? 아이를 태운 유모차에 장을 본 엄마, 다리가 불편하신 어르신, 무거운 짐을 늘 올리고, 내리는 택배 기사님들, 자전거 이용자들, 이제 막 걸음마를 뗀 유아들이다.

이렇게 하루 다녀왔는데 불편한 사항이 너무 많았다. 나도 모르게 특수선생님께 열을 내며 이야기하기 시작했다. 짧은 시간 겪은 일이지만, 너무 속상했던 일이 많았는데 어머님은 한 학기를 다니시면서 어떠한 요구사항이나 말씀이 없으셨다.

다행히 우리 학교는 너무도 잘 된 상황이기는 하지만, 그래도 어머니 보시기에는 불편한 상황도 있었을 터라는 생각이 들며 그분들을 생각하며 나의 열이 부끄러웠다. 고작 하루 다녀와서 이러다니.

불편함도 감수하고 불평 없이 잘 다녀와 준 혁진이네 가족에게도 고맙고 나도 그 가정을 통해 기다림을 배운다. 좀 더 좋아지리라는 믿음.

아침마다 팔을 벌려 엄마의 품에 안겨 휠체어를 타는 아이를 보며 난 어느 누가 저 큰아들을 꼭 품에 안아볼까, 하며 철없는 생각을 해본다. (부모님의 맘을 헤아리지 못하는 건 아니다) 그렇지만 한 발 뒤에서 바라본 혁진이의 가족은 부모님들의 안정감과 혁진이의 웃는 모습, 배우려는 열정이 나에게 이런 마음이 생기게 한다. 신입생 혁진이는 휠체어를 타고, 다닌다.

열심히 할 수 있는 건?
나의 모든 상황이 완벽할 때 해나가는 건 아닌 것 같다.
꿈을 꾸는 건?
모든 일에 좋은 결과가 있을 때 꿀 수 있는 건 아닌 것 같다.

교대 가서 본인이 다니던 중. 고등학교 교사가 되고

싶다는 희망. 기대감 환경이나 여건이 완벽해야 시작하는 건 아닌 것 같다.

잠시 잊고 있는 누군가에게 점점 늘어나는 10대들의 좌절 속에 이 아이가 그들의 희망 본보기가 되길 기도드려 본다.

반드시 이루게 될 것이며,
그런 혁진이의 모습이 보여 마음이 뜨거워진다.

요즘 강아지나 고양이 한 마리씩 안 키우는 가정이 없다.
그리고, 우리 아이들 정서에 도움이 되어 많은 부모님이 조금 힘들어도 반려동물을 키우신다.

아침에 등교하면 남색 교복 재킷에 고양이 털을 잔뜩 묻혀오며, *"제가 학교 가려고 그러면 막 안겨요."* 하며 웃으며 이야기한다. 한 번 교실에서 본인이 키우는 반려동물 이야기가 나오기 시작하면, 수빈이는 *"고양이 이름은 별, 달이며…. 그 중 별이가 날 좋아해요"*.
은희는 *"난 몽실이 강아지다. 갑자기 너무 보고 싶어 몽실아~~"*
말수도 없던 아이들도 자기 집 반려동물 이야기가 나오면 식물 잎을 먹는다는 둥 다들 신나서 이야기한다.

아침 출근길 편의점 앞 볕이 좋은 자리에 자리 잡고 오가는 사람들의 사랑을 독차지 하는 고양이 사진을 찍어 왔다.

 고양이를 좋아하는 아이들은 옆에 앉아 쓰다듬어 주기도 하고 맛난 간식을 주기도 한다.

 배우자가 떠나 홀로 계신 부모님께 또는 혼자 사는 청년들에게 반려동물들이 많은 위로와 웃음을 준다고 하는데 우리 아이들에게도 그런 기쁨과 가족들과 또는 친구들과 공감할 수 있는 이야기 만들어 주는 것 같아 아직 키워보지 않았지만, 그 역할이 참 크다는 생각이 들었다.

9.
균형 잡힌 학교가
되길 바라며

결국 교사도 누군가의 부모이고, 학부모님도 어디선가 교사
이다.

요즘 학생 인권, 교권 등 많은 이야기가 물 위로 떠올랐다. 교사의 교육활동에서 훈육과 훈계를 법적으로 보장하되 가이드라인을 제시해 재량 범위를 만들 필요가 있다며, 교사 개인이 교권 침해 문제를 감당하게 해서는 안 된다는 지적도 나왔다.

몇 해 전부터 선생님들이 힘든 상황이 생기면 동료에게 위로로 하는 말씀이 생각난다. "우리는 서비스업이야." 그래서 고객의 만족을 위해 일해야 한다는 입맛을 맞춰야 한다는 참 씁쓸한 이야기다. 선생님들이 이렇게 말씀하시는 이유가 동료의 아픔을 나누고자 하신다는 것을 나는 안다. 그러니, 너무 아파하지 말라. 아이도 부모님도 미워하지 말자 이렇게 들린다.

누구나 초년생일 때가 있다. 그리고, 교육을 보면, 이 방법이 아닌 때도 있다. 대부분 내가 만난 선생님들은 미래를 보며 교육하신다.

난 선생님들이 학부모님들 민원에 힘들어하시는 모습을 보면 대안으로 학기 초에 상담할 때 부모님들께 특수담임 선생님의 경력을 간략하게나마 알려드리면 좋겠다고 한다.

그럼, 어머니들도 선생님에 대한 신뢰를 쌓기에 조금 보탬이 되겠다고 생각한다고 제가 본 선생님들은 아이들의 성인 후 어떤 모습으로 자라는지 여러 아이를 가르쳐 보셔서 잘 아신다.

그러나, 우리 부모는 내 아이밖에 안 보인다. 나 또한 그랬다. 개인의 감성 쓰레기 같은 근거 없는 맘카페 이야기를 읽고 더 불안감만 쌓인다.

첫째 초등학교 1학년 담임 선생님께서 상담 간 부모님들을 모아 놓고 *"우리 아이가 이 반 아이들과 결혼도 하며 같이 사회생활 하는 동료가 된다."* 라는 말씀이 20년이 지난 지금도 내 자녀 문제 앞에 작아지려면 이 말씀이 떠오르며, 혼자 좋은 것 누리며 사는 건 어리석은 일이라는 생각이 들었다.
그 당시 나도 이제 갓 입학한 초등 부모였는데, 그런 우리에게 생각을 키워주신 좋은 말씀이었다.

(그렇지 않으면, 자기 자녀 자랑하기 바빴을 텐데) 너

무도 사랑하는 내 아이가 다니는 학교는 선생님과 부모가 균형 잡힌 모습으로 서로 힘이 되어 주며, 잘못해도 이해하는 그런 성숙한 사람들이 모인 집단이 되길 바라지 않을까 싶다.

결국 교사도 누군가의 부모이고, 학부모님도 어디선가 교사이다. 어리석게 내 아이가 원하지도 않는 흠집 잡기에 에너지를 쓰지 말고, 좀 믿고 기다려 주는 그런 성숙한 우리가 되면 좋겠다.

각자의 장애 유형도 다르고 성향도 달라 어느 장애에 이 지침이 맞는 방법은 없다. 그러기에 그 아이에 관한 관심과 경험이 매우 중요하다. 초등부터 함께 했던 형우는 좀 느리며 말을 잘하지 않는다. 말을 못 하는 것이 아니고 안 한다. 집, 태권도에서는 정말 잘한단다. 그런 아이가 학교에서 문제가 생기면 일단 다리를 떨며 소리 내 울기 시작한다. 그런 아이를 중학교에서 다시 만났다.

기술 가정 시간,
천으로 필통을 만들기 위해 재료를 받고 영상도 다 봤는데 이런 바늘에 실이 안 들어간다.
그래도, 좀 컸다고 울지는 않고 속상해하며 통합지원실로 왔다.

"형우야, 괜찮아 선생님도 못 넣어, 노안이 와서 다 방법이 있어"

다음날 집에 있던 실 끼우기 도구를 가져왔다. 몇 번을 연습하고 다음 날 기술 가정 시간을 무사히 맞춰 여러 사람의 도움으로 필통이 완성되었다.

'형우야! 방법은 아주 많아 그리고 실무사님은 그 방법을 하나씩 너에게 알려줄 테니 너무 걱정하지 마' 우리 아이들에게 문제해결 능력은 참 중요하다. 쉽게 대처할 수 있는 상황도 어른이 곁에 없으면 당황하고 멈춰 버리는 경우가 많기 때문이다.

수업 시간 준비물 안 챙겨 온 경우, 교과서가 없는 경우, 활동지에 뭘 써야 할지 모를 때, 음악 시간 리코더 못 부를 때, 도시락에 수저가 없을 때, 가방 안에 물통이 넘어져 젖었을 때 등 학교 생활하며, 겪는 작은 일들이지만 통합반에서 이런 상황이 되면 아이들은 당황하며, 어쩔 줄 몰라 한다.

한 학년이 올라갈 때마다 알아가고, 특수학급에 와서 교과서 안 가져왔다며 친구 책 복사하는 모습을 보면 고개를 끄덕이며 ' 잘한다.' 생각이 든다.

이렇게 대처하다 보면, 아이들은 매우 놀라거나 당황하지 않고 특수학급에 와서 도움을 요청하거나 아니면 같은 반 또래 도우미 친구들에게 도움을 받기도 한다. 알림장의 글씨를 못 알아보게 써가도 이렇게 또래 도우미 친구들을 통해 내용을 알기도 한다.

누군가 사랑을 받는 것과 주는 것 무엇이 더 기쁘냐고 물어본 강사분이 있으시다.
여러분은 어떠신가요?

10.

특수교육실무사의 '소확행'

조금 어색하며, 찌그러진 잔, 그림자를 표시한다고 색칠한 얼룩들이 망친 그림 같지만, 나에게는 하나하나 고심하며 그은 선들이라 소중하다.

특수학급 담임 선생님들은 못 하시는 게 없으실 정도로 목공, 도예, 바리스타, 제빵, 냅킨 공예, 마술, 원예, 비누공예, 뜨개 등 다양한 운동까지 연수, 영상을 보시거나 직접 강사분에게 배우신다. 이런 다양한 교육을 곁에서 지원하다 보니, 나도 모르게 손재주가 좋아졌다.

최근에는 가죽공예를 배우고 있다. 통합반 지원을 하다 보면 교사의 손길이 많이 가는 미술 시간에 들어가는 경우가 많다. 교사의 지시대로 하기 어려우니 옆에서 그리고 색칠하기, 만들기 등을 하다 보니, 좀 더 쉽게 따라 하며 괜찮은 결과물을 만들기 위해 연습하기도 한다.

그러다 보니 어느 날 그림을 그리고 싶다는 생각이 들었다. 그래서, 정년 이후 취미로 배워보자는 생각에 문화센터를 다니며 배우고 있다. 처음에는 카페에 혼자 앉아 주문한 음료를 그리기도 하고 옆에 놓인 안경집을 그려 보기도 했다. 지금도 그 그림들을 간직하고 있다. 다시 그렇게 그리라고 하면 그릴 수 없다.

조금 어색하며, 찌그러진 잔, 그림자를 표시한다고 색칠한 얼룩들이 망친 그림 같지만, 나에게는 하나하나 고심하며 그은 선들이라 소중하다. 특수교육실무사로 정년을 맞이하고 나면 뭘 해야 하나? 고민 끝에 내린 나의 드로잉이 이번 책을 쓰며, 중간마다 넣어 보았다. 꿈을 이룬 모습도 그려 보고, 어릴 적 아이들의 모습도 그리며, 그때가 생각나 너무 행복했다. 우리 가족도 내가 그림을 시작할 때만해도 얼마 못한다. 생각했는데 한 달마다 나가는 서울 어반스케치도 꾸준히 참석하는 모습을 보며 멋지게 보고 있다. 눈에서 멀어지면 걱정스럽지만, 그래도 잠시 특수학급 어머니들도 이런 나만의 시간이 생기시길 바란다.

그것이 아주 소소한 일이라도, 멋지게 실천하는 엄마를 보며, 아이들도 응원할 것이다.

늘 다른 친구들보다 짐을 두 배로 가지고 다닌다.

필통 2개, 노트 두 권 시간이 날 때마다 그리려는 그 아이의 열정이다.

이 학교에 발령받고 취미가 같은 친구가 있어 무진장 반가웠다. 몇 년째 그림을 배우며, 친구 생일날이면 캐릭터를 그려 주는 서희이다.

나도 그림을 그리지만, 난 늘 주변에 종이만 늘어놓지 막상 펜을 들기가 왜 이렇게 어려운지 모르겠다. 그래서 뭐든 어릴 때 해야 하나! 얼마 남지 않은 캐릭터 대회에 참가하기 위해 그림에 더욱 열심이더니, 어느 날 참여 작품을 우리에게 보여주었다.

제목부터 너무 멋지게 본인을 잘 드러낸 작품에 우리는 모두 박수를 보내며, 난 부러움에 *"서희 손 가지고 싶다."*고 말해버렸다.

그런 나에게 수업 마치고, 무심히 던진 한마디

"계속 그려야 해요"

    이 진실을 학생에게 들으니 아~~ 하며 정말 난 이 아이들에게 너무 많은 걸 배우고 있구나 싶었다. 두툼한 필통에 여러 노트를 들고 늘 같은 자리에 앉아 그림 그리는 아이. 쉬는 시간도 반납하고 그림에 집중하는 모습이 정말 너무 예뻐 펜을 들어 그려 보았다.

그래 서희야! 나중에 어른이 되어도, 아이 키우느라, 직장을 다녀도 핑계가 되지 않고 그림을 꾸준히 그리길 바래. 너의 꿈을 응원한다. 그래 연습하자.

11.

선생님, 알아주시면 안 돼요?

누구보다 더 잘 느끼고 알기에 난 두 손 모아 이들에게
닿는 손길이 따뜻하기를 바란다.

비가 아침부터 내리기 시작했다. 머리가 다 젖어 등교한다. 체험학습 날이면 어김없이 지각한다. 어깨를 축 늘어트리며 머리가 아프다고 한다.

문제집을 잘 풀던 수빈이는 갑자기 "아침에 떡갈비 먹었어요."라고, 이야기한다. 문득 생각이 나서 하는 말이 아니다. 다 이유가 있다. 아침에 떡갈비를 많이 먹어 배가 아파 화장실에 가고 싶다는 말이다. 오랜 시간 함께 지낸 나는 무슨 이유인지 금방 알아차리는 경우가 많다.

아이들은 특수학급 선생님들을 편하게 생각한다. 그래서 문을 열고 들어오는 아이들은 제각기 자기들의 힘듦을 이야기하며 들어온다. 배가 고프다, 아프다. 머리가 아프다. 이 모든 걸 선생님들이 다 받아 주실 수는 없다.

일부러 관심받고 싶어 그러는 걸 알기에 그리고 실제로 아침에 아무것도 안 먹고 와서 배가 고프기도 싫은 과목 시간을 버티느라 모르는 학습지를 쓰느라 그래도 실무사인 나는 가끔 이 모든 걸 받아 주고, 이야기해 주기도 한다.

배가 고픈 친구에게는 내 간식을, 머리가 아픈 친구에게는 전 시간이 무엇이었냐고 묻고 배가 아픈 친구는 생리 중이라 그러니 보건실에 가서 핫팩을 받아 오라고 하기도 한다. 어딘가에는 풀어야 할 것 같은 그 마음.

내가 그림을 배우는 문화센터에 나이 드신 어르신들이 계신다. 그분들은 서로 심하게 아파 수술을 받았던 일, 왕년에 산을 날아다니며 잘 오르던 일, 그림으로 상 받았던 40년 전 이야기를 서로 배틀하듯 이야기하신다. 그런, 이야기를 가만히 듣고 있다가 보면, 그래도, 이렇게 그림까지 배우게 된 것이 얼마나 다행인지 모른다는 이야기로 들린다. 우리 아이들도 통합반에서 적극적인 참여를 하지 못하고 오면 속상한 마음에, 특수학급에 와서 응석을 부리는 것 같다.

그래도, 선생님들 말씀처럼 *"너무 받아 주지 마세요."* 버릇될까, *봐* 걱정하는 일은 없도록 잘 조절해야겠다. 젖은 머리를 닦을 수건을 주며 드라이기를 꽂아 주고 우산이 있는지, 왜 안 쓰고 왔는지 물어본다.

작은 관심이 우리 아이들의 맘을 열어, 대화할 수 있다면, 그 결과로 학교생활을 잘할 수 있다면 좋겠다. 누구보다 더 잘 느끼고 알기에 난 두 손 모아 이들에게 닿는 손길이 따뜻하기를 바란다.

사춘기가 되면서, 아이들에게 조금씩 체취가 나기 시작한다. 그만큼 아이들은 냄새에 민감해져 향수나 섬유 탈취제를 뿌리고 다니기도 한다.

쉬는 시간이 되면, 실무사인 나는 이동 수업은 잘 갔는지 혹시 어려움은 없나 해서 통합반을 돌아다닌다. 그런데, 이게 웬일? 우리 특수학습 아이 주변으로 책상이 모두 밀어져 있었다. 이게 무슨 일인가 싶어서 갔더니, 아이에게 지린내가 났다. 어서 데리고 내려와 보니, 교복 바지에서 오줌 냄새가 심하게 나고 있었다.

특수선생님께서 가지고 있던 체육복으로 갈아입게 하셨다. 먼저 아버님께 교복과 속옷을 챙겨 보내주시라고 말하고 오후에는 빨래 하는 법을 가르쳤다. 빨래판을 이용해 빠는 것부터, 큰 건 세탁기 돌리기까지 가르쳤다.

그렇게 깨끗한 옷을 입어 냄새가 나지 않으니, 통합반 아이들도 별문제 없이 생활했고, 아이도 잘 따라주었다. 빨래를 잘하면, 칭찬 스티커도 받기도 하고 다 모으면 축구를 좋아하는 아이에게 축구공을 선물해 줘 신이 났다.

여자아이들 같은 경우 생리 기간에는 어머님들께서 꼭 말씀해 주신다. 걱정하시는 것보다 학교에서는 실수 없이 뒤처리도 잘하는 편이다.

아이들에게 잔소리하는 것은 힘들지만 하나하나 반복하며 깨끗이 헹구지 않으면 비듬처럼 떨어진다는 것을 알려준다. 사춘기 때는 옷도 자주 갈아입어야 하며 누구든 냄새가 나는 건 불쾌한 일이며 예의가 아닌 것 또한 알려주어야 한다.

우리 아이들의 장점이 이 사소한 청결 문제로 가려지지 않으면 좋겠다는 생각이 든다. 그래서, 오늘도 나는 아이들에게 *"머리 감고 오세요. 이 닦으세요"* 잔소리한다.

12.

스스로 길 찾기

아이를 전적으로 믿고 기회를 주시면 좋겠다. 생각보다 더
잘하고 잘 해낸다.

유치원 때부터 부모님들은 아이들 등, 하교 때문에 또는 치료실이나 태권도 때문에 직장 생활이 어려운 경우도 많다. 학교 가는 시간 외 늘 아이들을 보살펴야 하는 경우가 많다. 그래서 간혹 일이 생겨 늦기라도 하면, 특수학급에 전화하셔서 부탁하시기도 하신다. 늘 종종거리시며 아이들 시간에 맞춰 다니시는 모습을 보면 나도 두 아이를 직장 다니며, 키우는 엄마로서 그 피로감을 조금은 짐작이 간다.

어머니들이 가장 걱정하는 건 중학교에 오면 현장학습 장소에서 각자 모이는 것이다. (특수학급 학생들은 실무사나 통합반 또래도우미들[3]의 도움을 받기도 한다) 혼자 어딘가를 가보지 않은 아이들도 긴장하는 건 마찬가지이다. 아이가 중학교에 들어가니 어머니들이 아르바이트라도 하려고 하시면 아이들 치료실 다니는 것 때문에 참 많이들 고민하신다. 아직 시계를 모르는 아이도 그리고 혼자서 버스를 탄 경험도 없는 아이들 혼자 있으면 당황하고 겁내 할까, 봐 생각도 안 하시는 때도 있다.

그런 불안감에 그냥 그렇게 고등학교까지 아이를 차 태워서 다니면 아이들은 아무것도 모른다.

핸드폰으로 연락도 가능하니 몇 정거장 안 되는 치료실 정도는 알람이 울리면 혼자 버스를 타고 다녀올 수 있도록 연습이 되어야 한다. 분명히 잘 못 내리기도 하여 당황하기도 하고 멀미가 난다고 싫다고 하기도 하며 편하게 엄마 찬스를 쓰려고 할 것이다. 그렇지만, 그렇게 조금씩 혼자 스스로 버스나 전철을 이용하면 본인 스스로가 더 자유로워한다.

오가며 무인 아이스크림 가게에서 사 먹기도 하고 버스 기다리며 담임 선생님을 만나 인사도 하고 친구들을 만나 이야기를 나누기도 한다.
처음에는 같은 치료실에 다니는 두 친구를 함께 보내시기도 하여, 전철에서 싸우기도 하며, 실내화 주머니를 버스에 두고 내리기도 한다. 그렇지만 그렇게 연습된 친구들은 고등학교에 와서, 직업 훈련을 갈 때 길 찾기나 대중교통 이용하기에 두려움이 없다.

요즘에는 바로 취업하기보다 전공과에 가는 경우가 많다고 한다.

　그러기 위해서는 혼자 학교 다니며, 빈 시간을 활용할 줄도 알고, 혼자 밥을 사 먹을 줄도 알아야 한다. 그런 훈련을 통해 아이들이 직장을 다니는 첫걸음이 되기도 한다. 그러니, 이제부터라도 학교 정문까지 차 태워주기, 치료실 데려다주고, 근처에서 기다리기보다 아이를 전적으로 믿고 기회를 주시면 좋겠다. 생각보다 더 잘하고 잘 해낸다.

또래도우미[3] : 통합 반에서 자율적인 의사로 특수학급 학생의 수업자료나, 이동 시 도움을 주는 학생

선풍기 청소하는 날~!
선생님들이 뚝딱해 버릴 수도 있지만 이 모든 것이
아이들에게는 교육이 된다.

선풍기 날개를 풀기 위해 공구 통에서 드라이버를 꺼
내며 드라이버 모양은 어떤 걸 사용해야 할지 방향은
어디로 돌려야 할지 등 이야기하는 중~ 남자아이들이
서로 십자드라이버를 돌린다고 하니 지켜보던 은희는
"십자가는 내가 져야지" 어머나~!! 은희네 가족은 모두
교회를 열심히 다니신다. *"그래 각자의 십자가를 지자"*

4대의 선풍기를 하나씩 맡아 풀기로 했다. 선풍기의
날개를 조심스럽게 다루며 닦는 법까지~ 알려주고 닦
은 선풍기를 말리는 곳도 직접 해보았다. 다음 날 잘
말린 선풍기를 끼워 잘 돌아가는지 확인하는 것까지
마치고 나니 (키가 큰 승건이는 모든 선풍기의 나사가
끝까지 잘 돌려져 있는지 확인까지 해야 한다며 해줬
다.)

아이들이 흐뭇해하며 아주 적극적인 모습을 보니 하나하나 함께하며 직접 해보는 시간이 꼭 필요하다는 생각이 들었다. 언젠가 스스로 내 방 더러운 선풍기를 닦으며 친구들과 같이 청소한 이날을 기억할 것이다. 지금 하는 이야기나 경험은 나중에 꺼내 추억하기를 바란다.

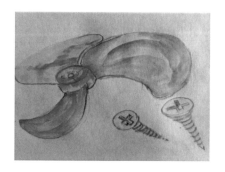

통합학급에서는 치료 목적으로 원예 수업을 진행하기도 한다. 강사분들이 특수교육대상자들을 상대로 수업하는 건 그렇게 쉽지만은 않다. 수업과 관련 없는 갑작스러운 질문, 피곤하다며 짜증에, 강사님 앞에 두고 재미없다는 말까지 수업 전 여러 가지로 당부하고 맛난 거로 보상한다고 하지만, 막상 수업이 들어가면 모두 잊고, 본인들 하고자 하는 대로 의자에 다리 올리기, 책상에 엎드리기, 물 마시기 등 그래서 우리 아이들을 가르쳐 보신 경험이 있으신 분들이 가르쳐 주신다.

수업하기 전 재미있게 하시려고, 음악까지 준비해 오시지만 1교시라 더 집중이 어렵다. 그래도, 잘 마치고, 이론까지 ppt 자료로 본격적으로 흙을 만지고, 식물을 다루는 시간이 된다. 어느 아이는 화분에서 흙이 떨어지는 게 싫어 옆 친구 책상으로 밀어 넣기도 하며 조심스럽게 강사님이 말씀하신 아이 다루듯이 하며, 꾸미기에 내 식물 별명 짓기, 속상한 날 누군가에게 말하기 어려우면 식물에서 이야기하기 등 유익한 이야기들을 해주시며 가져가기 좋게 비닐봉지까지 나누어 주신다.

그렇게 마치고, 강사님이 가시면 어느 친구는 엄마가 좋아해서 가져간다는 아이부터 우린 엄마가 이런 것 안 좋아한다며, 그냥 교실에 두겠다고 하는 친구들도 있다.

 부모님들도 힘드실 거다. 초등부터~고등까지 가져와서 본인들은 한 번도 물을 주거나, 관심 없이 부모님 몫이 되는 경우가 허다하니 그래도 무거운 화분을 조심스럽게 안으며, 엄마 준다고 챙겨가는 것 보면 기특하다.

13.

동행

나도 우리 특수학급 아이들의 미래를 위해 내 작은 손이 값
지게 쓰임 받길 기도드려 본다.

얼마 전 보내주신 SNS 글을 읽고 <누가 뭐라든 너는 소중한 존재>라는 책을 읽게 되었다.

내가 매일 만나는 아이들의 이야기라 공감이 갔다.

책 속에서 장애는 부끄러운 그것도 아니고, 숨기거나 감출 것도 아님을 깨닫기까지의 수많은 이야기. 카페의 구석 자리에 앉거나, 누군가 아이의 이상한 소리를 듣고 쳐다보기라도 하면, 바로 돌아왔던 길. 아이의 행동을 이해하지 못하는 사람들의 무시하고 피하는 모습들. 이민을 가야 하나? 누군가의 탓으로 돌리고 싶었던 마음. 그러나, 건강한 사람이 되고자 운동하는 엄마, 출근길 사과를 깎아 놓고 가는 아빠, 골고루 반찬을 만들어 챙겨주는 할머니, 그리고, 갑자기 생길 일로 아이를 돌봐주는 이웃. 그들과 동행했기에 난 작가님, 그리고 두 아이가 당당할 수 있다는 생각이 들었다.

이 책 안에서 초등학교에서 만난 쌍둥이 지체 장애를 키우시던 서진, 희진이 어머니가 생각났다. 그리고 아직도 고등학생이 되었지만, 인정하기 어려워 혼란스러워하는 어머니들의 모습도 보았다.

가끔 일반 학교 통합반에서 한글을 몰라 교과서 찾기

도 어려워 힘들어 하는 아이를 보면, 교실에서 무엇을 할까? 하는 생각에 '특수학교에 가면 더 잘한다며, 칭찬받고 다닐 텐데' 이런 생각을 한 적이 있다.

그러나, 책 속 연우가 반 친구들과 인터뷰하며, 엄마는 모르던 친구들과 있을 때의 모습을 보시고, 친구들이 치료사 100명보다 낫더라는 말씀에 내 생각이 얼마나 어리석었는지 반성하게 되었다. 어머니께서 아이들의 나은 세상을 위해 애쓰시는 모습을 보며 나의 이 사소한 실무사 시절 특수학급 교실에서 이야기가 누군가에게는 용기가 되는 글이 될 수도 있다는 생각이 들며 또 다른 특수교육실무사님들께도 용기 내어 우리 아이들과 가족들이 볼 수 없는 그러나, 우리는 늘 겪는 이야기를 들려주시는 계기가 되면 좋겠다는 생각이 들었다.

질그릇같이 거칠기만 했던 내 삶이 이들을 만나 일하며, 다듬어지며, 기죽지 않게 하려고 노력한 것이 지금의 내 모습이 된 것 같아 감사드린다.

또 내일이면 아이들의 크고 작은 일로 계단을 오르고

내리지만, 너희들을 만나 또 어떤 이야기를 쓰며 깨달을지 기다려진다.

연우와 정우의 좀 더 나은 세상을 위해 부모님들이 노력하듯이 나도 우리 특수학급 아이들의 미래를 위해 내 작은 손이 값지게 쓰임 받길 기도드려 본다.

기본 생활에서 필요한 걸 초등 때부터 배워 나간다. 예를 들어 신발 왼쪽, 오른쪽 구분해서 바르게 신기, 주머니에 실내화 가지런히 넣기, 지퍼 올리기, 신발 끈 묶기 등을 연습한다.

활동 중에 앞치마를 입어야 하는 경우도 많아 연습할 기회가 많다. 고등학생이 되면, 좀 더 어려운 과제로 옷, 양말, 수건 등 접기, 다림질하기, 세탁기 돌리기 들을 한다.

그러나, 수빈이에게 끈 묶기는 너무나 힘든 과제다. 머리 묶기는 아침마다 어머니께서 잊지 않고, 단정하게 해주신다. (초등 때는 중간에 떼쓰고 하면 머리가 다 풀려, 내가 전담 미용사였다) 여러 번 다양한 방법으로 해보았지만, 이제 고등학생이 되니 더 배우려 하지 않는다.

그래서 운동화 끈이 풀리면, 담임 선생님께 신발을 쭉 내밀며 묶어 달라고 하기도 한다. 함께 다니는 특수학급 친구나 통합반 친구들에게 부탁하기도 한다.

뭐든 도움을 요청하는 수빈이가 실무사인 나에게는 끈 묶기를 부탁하지 않는다.

중학교에 올라와서는 배우려 하지 않아 그때부터는 도와주지 않는다. 리본이 아니어도 좋으니 반복해서 일자로 묶어도 좋고 아니면 신발 속에 넣으라고 아니면 다이소에 파는 매듭 없는 실리콘 신발 끈을 알려주기도 했다. 그러나, 여러 가족과 같이 신는 신발이니 불편하다는 이유로 연습하기를 포기했다.

어느 날, 끈 없는 크록스를 신고 왔다. 아 그런데, 지비츠가 빠져 끼워 달라며, 어머나~!! 우리 수빈이 어떻게 하면 좋을까요?

어릴 때 교육이 너무도 중요하다는 생각이 이들과 10년을 지내오며 더 절실히 알게 되었다. 그래서 초등 특수선생님들의 희생과 노고가 없다면 여기까지 오기도 어렵다. 학년이 올라갈수록, 아이들은 익히려고 하기보다 그 시간을 모면하는 법, 안 할 수 있는 방법을 찾기 시작한다. 그리고, 보는 눈이 생겨, 본인이 하면 어설픔을 알고, 아예 도전조차 안 하는 경우도 많다. 그런 경우 너무 안타깝다.

아직도 배울 기회가 많은데, 그래서 난 수빈이가 좀 불편함을 겪으면 배우려 하지 않을까 하고 그런 방법을 써봤는데 담임 선생님께 신발 끈을 부탁하다니~~!! 괜히 내가 죄송스러웠다. 풀린 운동화 끈을 다시 내밀면 이번에는 어떻게 해야 할까?

우리 아이들은 초등 때부터 다양한 직업 훈련을 한다. 그중 아이들에게 제일 인기가 많고, 부모님들의 만족도도 좋은 건 제과제빵 수업이다. 특수지원센터에 가서 전문 제빵사님께 배우는 시간이다. 그 전날부터 머리 묶고 오기, 손톱 자르고 오기 등 용모단정 교육을 받는다. 다들 좋아하는 수업인 만큼 잔머리 없이 깔끔하게 묶고, 손톱도 잘 자르고 온다. 손 씻기부터, 앞치마 입고, 끈 묶기까지 2시간 정도 온전히 서서 하는 수업으로서 그렇게 쉽지만은 않다. 손으로 머리를 만지거나, 코를 파면, 다시 씻고 와야 하는 때도 있다.

제빵에 필요한 재료 이름부터, 용량, 저울 사용법 등 만드는 방법 등 밀가루를 체 치는 법, 달걀 깨기, 노른자 분리하기, 거품 내기, 정확한 반죽 계량을 위해 빼야 하나 더해야 하나, 고민도 해야 한다. 빵 모양을 위해 밀대로 어느 부분만 얇아지지 않게 일정하게 밀기도 하고, 햄을 넣어 꼬집기도 하며 오븐에 구워 커다랗게 변한 빵을 식혀 포장까지 마무리한다.

각자의 재료를 맛보고 발효된 말랑한 반죽으로 모양을 만드는 건 아이들에게 기쁨을 준다. 마지막으로 뒷정리로 버터가 묻은 그릇을 따뜻한 물로 잘 닦는 것도 교육의 중요한 과정이다. 다들 완성된 빵을 몇 개씩 가져갈지 궁금해하며, 더 큰 걸 담으려고 고르는 아이, 예쁜 모양을 찾는 아이, 숫자를 잘 몰라 더 담은 아이, 학교에 돌아와 만든 빵을 도우미 친구들이나 담임 선생님께 드리고 나서 받는 칭찬은 큰 기쁨이 된다.

내가 정식으로 초등학교에 실무사로 일할 때 쌍둥이 남매를 만났다. 두 아이 모두 지체 장애를 가져 가장 우선으로 실무사 지원이 필요한 상황이라 두 명의 실무사가 배치되었다. 큰 키에, 깔끔하게 차려입으신 어머니께서는 두 아이를 차에 태워 등교하셨다. 아이가 조금 짜증을 부리는 아침에도 화내지 않으시고 환하게 웃으시며 반갑게 인사를 하는 모습이 지금까지도 기분 좋게 기억된다.

병원학교에 다니며, 열심히 공부한 덕에 성적은 매우 우수했다. 척추 수술을 받아, 오래 걸을 수는 없어도 나의 한쪽 팔을 잡고 제법 걷기도 잘했다. 어느 날 학교에서 현장 체험을 가면, 어머니께서는 카메라를 가져와 아이들과 함께 줄을 서서 걷는 모습이며 반 아이들과 함께하는 모습을 놓치지 않고 기록하셨다. 경사로가 심한 경우 어머니는 중간마다 이동하며 아이들의 상태를 확인하고 반 아이들과 함께 목적지까지 가길 원하고, 나 또한 아이를 그렇게 지원하였다.

용쓰며 걸어온 얼굴에 땀이 범벅이면 중간의 차에

타 땀을 닦고, 다시 내 팔, 내 어깨를 붙잡고 아슬아슬한 걸음으로 잘도 걸어주었다. 그때만 해도 클라이밍이 대중적이지 않았는데, 오후에는 두 아이의 다리 근력을 키우기 위해 가르치기도 하며, 아이들에게 최선을 다하셨다. 덕분에 나도 비슷한 자녀를 키우는 부모로서 내 아이도 가르쳐 보며, 그 어머니에게 많이 배웠다.

어느 날, 교실 의자에 앉으려다 미끄러져 입술이 부딪쳐 찢어져 다쳤던 날 병원까지 동행하는 차 안에서, 어머니는 너무도 차분하게 아이들의 병원 생활을 이야기해 주시며, 수술받는 아들의 두 손을 잡으며 기도해 주던 그 모습에 다시 감동하였다. 남 탓도 할 만하고, 화를 낼 만도 한 상황에서도 늘 지혜롭게 부탁하시며, 해결하시는 학부모님을 기억하면, 그 아이들의 성장이 기대된다. 전학 가던 날 두 아이를 보며, 너희 이름을 기억하리라 약속했다. 지금도 가끔 어머니의 카톡에 들어가 서진, 희진이의 사진을 보며, 중학교 교복 입은 모습, 어머니의 연극 활동 등 안부를 보고 있다.

14.

미디어 속
자폐아 이야기

이런 편견을 바꾸어준 드라마나 영화 덕분에 사람들은 그들
을 영웅이라 말하며, 대단하다며 박수를 보낸다.

특수학급 아이들과 대중교통을 타고 근처 영화관을 다녀왔다. 버스에서 자리가 있으면 달려가 앉기부터 하면 버스 안의 사람들의 시선이 따가워 때로는 막 손을 흔드는 아이, 큰 소리로 말하는 아이를 데리고. 그 아이들이 평생 도움만 받고 살 거로 생각하는 편견과 그 가족들까지 그렇게 안쓰럽게 보는 시선도 참 불편하다.

그러나, 이런 편견을 바꾸어 준 드라마나 영화 덕분에 사람들은 그들은 영웅이라 말하며, 대단하다며 박수를 보낸다. 최근에 인기를 끈 드라마 <이상한 변호사 우영우>는 배우 박은빈이 이 배역을 맡기 전 세심한 배려와 연구를 통해 자폐증 장애를 갖고 태어난 우영우 역할을 잘 살려 호평받았다.

초등 특수교육실무사 시절 자폐 장애가 있는 아이를 지원했다. 입맛이 까다로워 우유는 앙팡 만, 과자는 마가렛트로, 밥은 절대 안 먹고 아침에 의자 놓고 냉동실에 있는 월드콘을 먹었다.

깡마른 체형에 검은 가방의 양쪽 지퍼가 가운데 위치에 항상 있어야 했다. 특수선생님은 아직 저학년이라 식습관이나 습관을 조금 바꾸려고 노력하셨다.

밥 대신 가방에 과자를 넣어 급식실에서 먹던 아이에게 식판을 받아 숟가락으로 밥을 뜨게 하여 먹이기를 무던히도 반복하셨고, 입을 다물고 절대 먹지 않던 아이가 한 번 맛보면 조금씩 받아먹어 밥을 조금씩 덜 남기기도 했다. 앙팡 대신 서울 우유를 먹이기도 하고, 안 먹는 국도 먹도록 하였다. 그렇게 먹고 나면 5교시 수업은 얼마나 차분하게 수업을 잘하는지 선생님은 마주 앉은 아이를 흐뭇한 미소로 바라봐 주셨다. 생각보다 힘든 아이라 우리들의 손길을 많이 받았던 아이이다. 더 크기 전에 좋은 습관을 길러 주려고 애쓰셨지만, 어머님이 아주 힘드셨는지 결국 2년 정도 다니다 특수학교로 전학을 갔다.

그렇다. 드라마나 영화에서 보이는 그런 자폐 장애들은 소수이지만 이들의 이야기를 통해 어려움에 부닥친 위기에서 도움을 주기도 하고 따뜻한 사람에게 사랑을 느끼며 양심을 지킬 줄 알며 나를 비웃는 사람에게는 같이 화를 낼 수도 있다.

최근에는 반포한강공원 세빛섬 일대에서 한강 K 콘텐츠 페스티벌 '폼나는 한강'의 시그니처 3개의 조형물 중 드라마 속 혹동고래가 아파트 8층 높이의 실제크기로 화려한 조명까지 갖춰져 재현했다고 한다. 혹동고래를 보며 다시금 <이상한 변호사 우영우>를 떠올리며, 장애를 바라보는 시선이 좀더 따뜻해지길 바란다.

15.

무지개의 시작

퇴근 길, 하늘에서 보았던 무지개 그 시작은 그 기사님 같은
선한 영향을 주는 분이라는 생각이 들었다. 그분을 통해 나
또한 그 무지개, 다리의 또 다른 색을 만들고 싶다는 소망이
생겼다.

방과후수업을 지원하는 학생이 있어 늘 하던 퇴근 시간보다 훌쩍 지나 무거운 걸음으로 버스에 올라탔다.

버스 기사님은 승차 승객에게는 "*오늘도 수고 많으셨어요.'*"라는 인사를, 하차 승객에게는 "*좋은 오후 되세요.*"라며 인사를 해주셨다.
다들 이어폰에 핸드폰을 보며 누구도 떠들거나 하지 않으며 버스 기사님의 기분 좋은 울림이 계속되었다.

직업에 대한 만족은 내가 만들어 간다는 생각이 든다.

최인철 교수님의 저서 중 <프레임>에서 청소하시는 분께 지금 무엇을 하시냐고 물어보니,
"*지구의 한 모퉁이를 청소하고 있다.*"
라고, 말했다고 한다.
특수교육실무사라는 직업이 내겐 단지 보조의 역할만 있다고 생각지 않는다. 아이들을 위해 작고 사소한 것도 지나치지 않고 챙겨주고, 이야기하면 마음을 여는 열쇠가 되는 경우를 경험으로 알게 되었다.

우리 아이들은 더 잘 안다. 그 눈빛이, 그 음성이 나를 어떻게 생각하고 있는지. 그래서, 더 잘 살피고, 보아야 아름다움을 알듯이 우리 아이들이 그렇다. 퇴근길 하늘에서 보았던 무지개 그 시작은 그 기사님 같은 선한 영향을 주는 분이라는 생각이 든다.

그분을 통해 나 또한 그 무지개, 다리의 또 다른 색을 만들고 싶다는 소망이 생겼다.

수빈이가 안 오는 날, 우린 종일 공기청정기를 못 튼다.

높은 찬장에 반찬통은 승건이를 기다리며, 우리 아이들은 각자 자기들이 맡은 저마다의 역할이 있다. 수빈이는 특수학급에 오면 몇 가지(알람, 풍향, 소리) 등 기능 선택을 해서 공기청정기를 켜주고 승건이는 키가 크니 높은 곳을 본인이 해야 한다며, 제일 위 칸 찬장에 반찬통 꺼내기, 제빵 시간에 재료 꺼내주기 등을 부탁하며, 핸드타월도 작년에 본인이 맡은 일이니 올해도 한다며 꾸준히 해주고 있다.

중학교 때는 날짜 개념이 없는 친구들을 매일 아침 등교 시 날짜를 쓰도록 하기도 하고, 재활용 버리기 등 각자의 할 일이 있다. 졸업을 앞두면 각자 맡은 일을 잘할 후배에게 교육해 넘기는 것까지 하는 게 책임이다.

1년을 날짜 쓰기하고 나면, 3월 다음이 무슨 달이며, 일주일이 무슨 요일이 있는지 (그렇지만, 주말은 안 오니 헷갈리기도 한다) 알아간다.

처음에는 달력을 넘기며 다음 날을 알고 한 주를 한 달을 반복하여 학습하다 보면 자연스럽게 배우게 된다. 이런 역할은 그 아이가 그날 학교에 안 오면 다른 누구도 대신하지 않는 아이들 스스로 원칙 같은 것이다. (날짜는 아주 불편하여, 다른 친구가 쓰기도 한다) 참 기쁜 마음으로 한다.

우린 모두 누군가에게 도움이 되고자 하고, 그것이 행복임을 다시 한번 알게 된다. 실수한다고 안 시키며, 할 기회가 없다. 못한다고 생각해 다 해주면, 잘할 수 있는 일이 줄어든다. 부디 가정에서도 우리 아이들에게 기회를 주어 스스로 할 수 있는 일이 많아지길 바란다.

Episode 19.

  드디어 운동장에서 자유롭게 소리 지르며 체육대회를 할 수 있게 되었다. 각반 스타일에 맞게 반티도 맞추고, 밴드부 연주에 댄스부 공연, 줄다리기, 이어달리기, 8자 마라톤 등 그동안 교실 안에서 힘듦을 오늘 다 벗어 던지리라 다짐한 듯 다들 웃고, 떠들며 응원한다.

  운동회를 준비하는 주간이면, 아이들은 바짝 긴장하며, 체육 시간을 가기 싫어하는 아이, 이어달리기 선수로 나가고 싶다고 손을 들었지만, 통합반 아이들이 안 된다고 설득한 아이, 댄스부처럼 춤을 추고 싶은 아이, 보통 때는 잘 피해서 피구를 잘한다고 생각했는데 막상 운동회 때는 빠져 주눅이 든 아이들.

  이 아이들의 마음을 조금이나마 알아주고 싶어 난 체육 선생님께 이어달리기 바통과 이인삼각을 빌렸다. 점심을 먹고, 이를 닦으러 온 특수학급 친구들을 운동장에 데리고 가서, 네모 모서리에 각자 서게 한 다음 바통 주고받기를 연습했다.

아이들은 낄낄거리며, 비록 짧은 거리였지만 너무 신나 하며, 언제까지 하냐고 땀을 흘린다.

당일 아이들 경기하는 모습을 찍으러 운동장으로 나가니~~~ 다들 관중석에만 앉아 (본인이 나가 자기 반이 지기라도 할까, 봐) 있었다. 이런~~~ 무작정 나가려던 중학교 때와는 달라졌구나! 그래도 개인 달리기 하는 모습은 사진에 담을 수 있었다. 그래 이렇게 내려놓는 그것이 무서워도 말고, 힘차게 달려가 보자. 너희들이 달리는 어디든 실무사님도 응원하고, 때론 잘못 길을 가면 방향도 제시해 주며, 함께 가보자.

오늘도 너희 덕분에 웃을 수 있어 고마워♥

16.
내가 더 사랑해

아이들을 내가 더 많이 사랑한다는 것을 느꼈다.

나에게 특수교육실무사라는 직책이 주어진 지 벌써 9년을 넘어가고 있다. 초등에서 만나 중등, 고등까지 함께한 친구들도 있다. 나에게 이 아이들은 단순한 아이들이 아니다. 구불거린 길도 있었고, 더없이 아름다웠던 때도 온 혈기를 부리며 악을 쓰던 시기도 함께했다. 그런 시기를 지나 지금은 너무도 평온하게 서로의 표정만 봐도 알게 되었다.

얼마 전, 특수학급 두 반이 선생님과 학생들 모두 체험학습을 나가게 되고, 난 학교에 남아 완전통합[2] 친구를 지원하게 되었다. 하루 종일 시계만 바라보고 금방이라도 문을 열고 아이들이 들어올 것 같은 생각에 문쪽을 바라보며 식당에 가서 점심을 먹어도 뭔가 허전하고 외로웠다. 우리 아이들이 없는 이 학교는 나에게 텅 빈 학교처럼 그냥 조용하게만 느껴졌다.

아이들을 내가 더 많이 사랑한다는 것을 느꼈다. 오후가 돼서 쏟아지는 비를 보며 두 손 모아 이 시간에 식당에 있기를 바라며, 올 때는 비가 잔잔해지길 기도드렸다.

이제 여름방학이 다가온다. 그 긴 시간 종일 아이들이 핸드폰 속 유튜브만 보고 시간을 보낼까봐 벌써 걱정이 된다. 이런 생각을 하다가도 피식 웃음이 나온다.

그래, 운동하는 주현이는 헬스 잘 다니고 노래 좋아하는 은희는 맘껏 노래하며 성경학교 잘 다녀오고 승건이는 다니던 치료실 잘 다니며 수빈이는 아픈 다리 잘 치료해서 개학 날은 체육을 할 수 있길 바란다.

완전통합[2] : 장애 아동이 장애의 유형이나 정도와는 상관없이 하루 종일 일반 또래와 함께 일반 학급에서 특수교육 및 관련서비스를 제공받는 것을 의미한다.

　유치원 교사 시절 아이들이 정말 즐거워하는 시간은 생일파티였다. 한 달에 한번 같은 달 친구들에게 왕관을 씌우고, 상 앞에는 맛난 음식이 놓여, 친구들이 모두 불러주는 생일축하곡은 아이들에게 잊지 못할 기억으로 남는다. 조금 쑥스러운 아이들은 얼굴에 웃음기 없이 친구들이 전해 준 선물과 *"사랑해"* 하며, 안아주면 그제야 어색함이 풀리며, 웃기도 한다.

생일에 의미를 알려주기 위해 몬테소리 교육으로 동그란 원에 본인의 나이만큼 돌며, 1살, 2살… 7살 이렇게 내가 조금씩 형, 누나가 되어 간다는 의식을 알려주는 파티이기도 하다. 가정에서는 어느 때보다 생일을 챙겨주시기를 바라고, 초등 저학년 때까지 백설기며, 맛난 간식을 챙겨 오시기도 하신다. 조금이라도 여러 사람에게 축하받길 바라는 마음, 너의 탄생은 기쁨이었음을 알려주시려는 부모님들의 사랑 표현이라는 생각이 든다.

그래서, 고등학교에서 웬 생일파티 하겠지만, 아이들은 본인 생일날 급식이 뭐 나오냐, 등 사소한 것까지 미리 알아보며 기다린다. 올해 특수학급 첫 생일을 맞는 은희는 며칠 전부터 날짜를 세며, 무척이나 기다린다. 교실을 맘껏 꾸미며, 다들 각자의 취향에 맞는 머리띠에 고깔까지, 담임 특수선생님께서 직접 생일 친구가 원하는 케이크를 준비해 오셨다.

 모두 불도 끄고, 10대라서 초는 1개, 힘차게 손뼉 치며, 생일 축하 노래와 함께 후~~초를 분다. 두 손 모아 소원도 빌어 물어보니 말하지! 않는 것이라며, 알려주지 않는다.

 실무사님도 두 손을 모아 한 살씩 먹으며, 몸도 점점 커지는 너희들이 졸업하고도, 이렇게 매해 생일이 되면, 축하받길, 사랑받길 기도드려 본다.

은희야!
받은 사랑 잊지 말고, 나누길 바래.

Episode 21. _ _ _ _ _ _ _ _ _ _ _ _ _ _ _ _

 우리 교실은 온돌마루가 깔려 있다. 그래서, 들어올 때 신발은 벗고 들어온다. 통합반에 일이 생겨, 특수선생님께서 학부모와 상담하게 되었다며, 나에게 잠시 아이들을 돌봐 달라고 부탁했다. 마지막 7교시 아이들이 힘든 시간 잠시 모두 다리를 쭉 펴고 벽에 기대어 앉았다. 당연히 나도 아이들과 같은 자세로 바닥에 앉는다.

 오늘 체육 시간에 알게 된 키 이야기를 하며, 작아서 속상해하는 아이를 앉은키를 비교해 보기도 하고 유연성도 더 좋다며 조금 속상한 맘을 달래보기도 한다.

그렇게 보내다 얼마 전에 아이들을 위해 쉽게 쓴 <메밀꽃 필 무렵> 책을 한 권씩 잡았다. 각자 읽자니, 너무 버겁다는 생각에 한 쪽씩 읽기로 하며 책을 펼쳤다. 독서 시간을 너무도 싫어하는 아이들이지만 친구들과 함께 읽어 나가는 건 그래도 괜찮은가 보다.

 발표 시간만 되면 부끄럽다는 수빈이는 떨리는 목소

리 없이 잘 읽으며, 대화체에서 진짜 실감 나게 읽어
가는 주현이, 어디인지 몰라 헷갈리는 승건이를 잘 도
와주고, 읽다 틀리면 말 수 없는 서희는 에이 하며 숨
겨진 성격이 나왔다. 언제 오셨는지 선생님도 상담을
마치시고 바닥에 털썩 앉으셔서 이야기를 듣고 계셨
다.

참 이쁜 아이들이다.
난 슬그머니 빠져나와 내 자리에 앉았다. 선생님께서
이런 책 더 사서 다음에 또 읽을까 물어보신다. 한 목
소리처럼 다 같이 *"아니요"*라고 답하는 아이들 때문에
웃음이 피식.

17.

나는 특수교육실무사로
살아가겠다

난 특수선생님과 아이들 사이에 징검다리 역할을 잘해 주고
싶고, 우리 아이들이 통합반 아이들과 선생님들께도 괜찮은
아이로 기억되길 바란다.

어느 강연장에서의 일이다. 사회자가 본인의 직업에 만족하냐는 질문에 주변을 둘러보니 나 혼자 손을 번쩍 들었다. 자녀를 학교에 보내고 나니, 초등부터 수없이 적성검사와 직업에 관한 진로 교육을 받는다. 아이들은 어떤 직업을? 과연 아이들이 아는 직업은 어느 수준일까? 아마 TV나 조금 전문적으로 본다면 커리어넷에서 알아볼 것이다.

직장을 오래 다니다 보면, 업무가 전공 분야의 지식으로만 해결되지 않는다는 걸 알게 된다. 누군가는 안 하고 싶어 하는 일, 사소한 일을 마다하지 않고, 해보려는 부지런함 아마 이것이 지식보다 더욱 중요할 때가 있다.

특수지원 대상 학생들과 생활하면, 주변에서는 안쓰럽게 바라보기도 한다. 그러나, 그렇지 않다. 주변 사람들은 우리가 얼마나 많이 웃는지 알지 못한다. 아예 상상도 못 할 것이다. 말 한마디 않던 아이가 특수학급에 와서는 두서없이 이야기하며, 웃고 또 웃는다. 이곳에서는 어떤 이야기도 친구나, 선생님들이 다 이해해 주고, 알아듣는다는 걸 아이들도 안다.

그렇게 내 안에 이야기보따리를 풀고, 통합반에 가서 잘 수업하길 바란다.

 사소한 일을 맘껏 표현하고, 이야기 나누는 일이 힘든 친구들에게 난 친구가 되고 싶어. 편안하게 장난도 치며 아이들 앞에서 내가 춤도 추며 할머니 목소리를 흉내 내거나 우리 집 아이들 이야기를 해주기도 한다. 그런 내 행동에 가끔 버릇없이 말하는 학생은 지나치지 않고 마주 보고 이야기해 준다. "실무사님은 네가 친구들과 맘껏 나누고 싶은 이야기를 이렇게 너와 친구가 되어 주는 것이니 막 말하는 것은 안 된다고" 어려운 경계선일 것이다. 그렇지만 난 특수선생님과 아이들 사이에 징검다리 역할을 잘해 주고 싶고, 우리 아이들이 통합반 아이들과 선생님들께도 괜찮은 아이로 기억되길 바란다.

최수연 님의 이야기는 특수교육
분야에서의 가치와 인간성을 빛내는
감동적인 이야기입니다. 그녀는 일반
학교에서 특수학급 학생들을
지원하면서, 장애 학생들과 함께하는
일의 중요성과 의미를 느끼고
있습니다.

최수연 님은 동정의 마음이 아닌
포용과 이해를 바탕으로 학생들에게
손을 내밀고 있습니다. 그녀의 열정과
헌신은 특수학급 학생들의 일상을
풍부하게 만들어 주며, 그들이
특별하지 않다는 메시지를
강조합니다. 이 책을 통해 그녀의
10년간의 경험과 배움을 나누고,
특수교육에 대한 이해와 인식을 높일
수 있습니다.

최수연 님의 이야기는 우리 모두에게
그들의 잠재력과 능력을 존중하고
지지하는 방법을 가르쳐줍니다. 이
책을 통해 더 나은 교육과 사회를
만들기 위한 영감을 얻을 수 있을
것입니다. 강력히 추천합니다.

- ChatGPT

글을 마무리하고 나니 혹여나 나를 드러내는 글이 될까 염려된다. 내가 책에 녹일 말한 대단한 경험이 있지는 않다. 긴 시간 아이들과 함께 보내며 좀 더 그들을 들여다보고 이해하게 되었고, 같은 생각을 하며 동감에서 공감으로 이어간 것 같다. 나에게는 실무사로서의 원칙이 있다면, 선택의 상황에서 난 늘 아이들 편이 돼주고 싶다. 아이들이 통합반에서나 특수학급에서 배울 기회가 있다면 지원해주려고 했다. 난 아이들이 학교에 잘 적응하는 것이 우리 모두가 바라는 목표라고 생각이 든다. 글을 쓰기 위해 은희에게 사진 앨범을 부탁했는데 선뜻 가져다주어 고맙다고 말하고 싶다.